Importance des itinéraires

Autoroute
- à chaussées séparées
- en construction (le cas éc...
- échangeurs : complet, dem...
- numéro d'échangeur ...

Double chaussée de type autoroutier

Route de liaison internationale ou nati...

Route de liaison interrégionale ou de c...

Route de liaison régionale ou locale ...

Largeur des routes

Chaussées séparées ..		2 voies larges	
4 voies		2 voies	
3 voies		1 voie	

Obstacles

Forte déclivité (montée dans le sens de la flèche), péage sur route ......

Distances (totalisées et partielles)

sur autoroute
- section à péage ....
- section libre ....

sur route ....

Numéros de routes

Autoroute, route européenne, nationale, départementale .... A 6, E 10, N 5, D 281

Localités

Préfecture, Sous-préfecture (France)

Capitale de Province (Belgique, Espagne, Italie)

Capitale de « Land » (Allemagne) ....

Chef-lieu de Canton (Suisse)

Numéro de département

Transport des autos
- par voie ferrée - par bac
- par bateau : liaison permanente - saisonnière .

Aéroport

Curiosités importantes isolées

Édifice religieux, château, ruines, grotte, curiosités diverses ....

Itinéraire agréable - Parc national ou régional - Barrage ....

Verkehrsbedeutung der Straßen

Autobahn
- getrennte Fahrbahnen ....
- im Bau (ggf. Datum der Verkehrsfreigabe) ....
- Anschlußstellen : Autobahnein- und/oder -ausfahrt ...
- Nummer der Anschlußstelle ....

Schnellstraße mit getrennten Fahrbahnen ....

Internationale bzw. nationale Hauptverkehrsstraße ....

Überregionale Verbindungsstraße oder Umleitungsstrecke ......

Regionale oder lokale Verbindungsstraße ....

Straßenbreite

Getrennte Fahrbahnen .		2 breite Fahrspuren	
4 Fahrspuren		2 Fahrspuren	
3 Fahrspuren		1 Fahrspur	

Verkehrsbehinderungen

Starkes Gefälle (Steigung in Pfeilrichtung) - Gebührenpflichtige Straße

Entfernungen (Gesamt- und Teilentfernungen)

auf der Autobahn
- gebührenpflichtiger Abschnitt
- gebührenfreier Abschnitt ....

auf allen übrigen Straßen ....

Straßennummern

Autobahn - Europastraße - Bundesstraße - Landstraße .... A 6, E 10, N 5, D 281

Ortschaften

Präfektur - Unterpräfektur (in Frankreich)

Provinzhauptstadt (in Belgien, Spanien und Italien) ....

Landeshauptstadt (in Deutschland) ....

Kantonshauptstadt (in der Schweiz) ....

Nummer des Departements ....

Autotransport
- per Bahn - per Fähre ....
- per Schiff : ganzjährig - während der Saison ..

Flughafen

Abgelegene, wichtige Sehenswürdigkeiten

Kirchliches Gebäude - Schloß - Burg - Ruine - Höhle - Sonstige Sehenswürdigkeit ....

Hübsche Strecke - Nationalpark oder Naturpark - Staudamm ....

Throughroutes classified by importance

Motorways
- dual carriageway . . . .
- under construction (where available: with scheduled opening date)
- interchanges: complete, half, limited . . . .
- number of interchange

Dual carriageway with motorway characteristics
International and national road network
Interregional and less congested road
Regional or local road network

Road width

Dual carriageway	. . . . .		2 wide lanes	. . . . .
4 lanes	. . . .		2 lanes	. . . .
3 lanes	. . . .		1 lane	. . . .

Obstacles
Steep hill (ascent in the direction of the arrow), toll road . . . .

Distances (total and intermediary)

on motorways
- toll section . . . .
- free section . . . .

on roads . . . .

Road classification
Motorways, international, national or department roads . . . .   A 6, E 10, N 5, D 281

Towns
Prefecture, Sub Prefecture (France) . . . .   Ⓟ Ⓟ ⟨SP⟩ ⟨SP⟩
Provincial Capital (Belgium, Spain, Italy) . . . .   Ⓟ Ⓟ
"Land" Capital (Germany) . . . .   Ⓛ Ⓛ
Major town of the "Canton" (Switzerland) . . . .   Ⓒ

Number of French « Département »   25

Transportation of vehicles
- by rail - by ferry . . . .
- by boat : all the year - seasonal only

Airport . . . .
Important single sights
Religious building, castle, ruins, cave, other sights . . . .
Pleasant itinerary - Regional or National Park - Dam . . . .

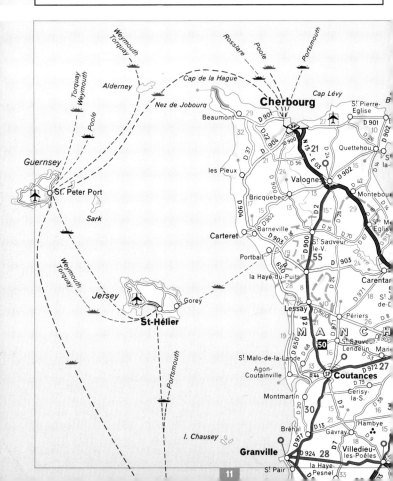

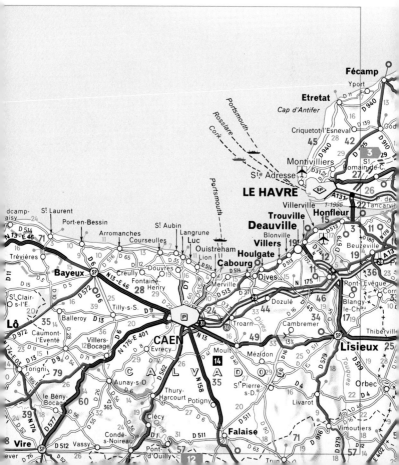

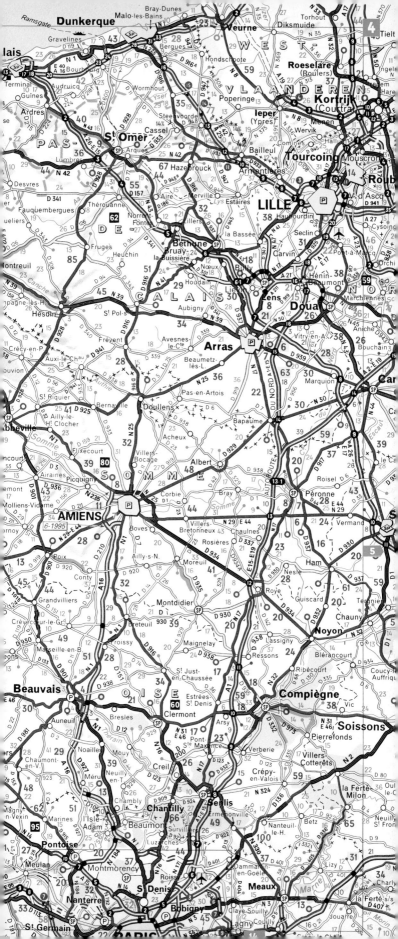

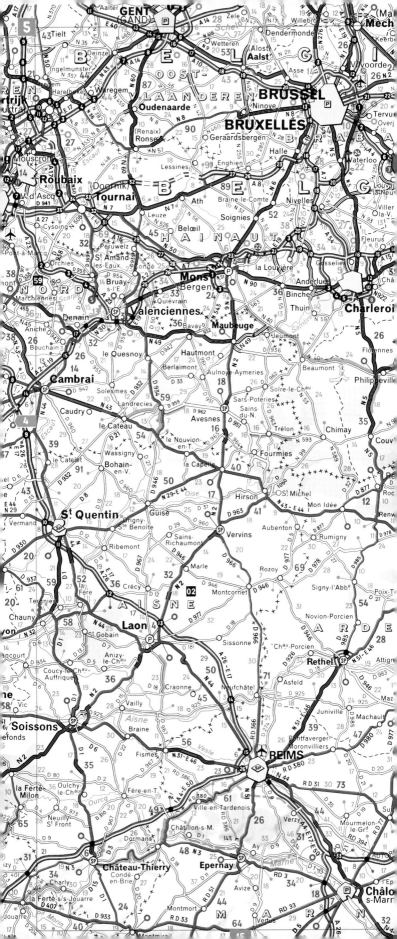

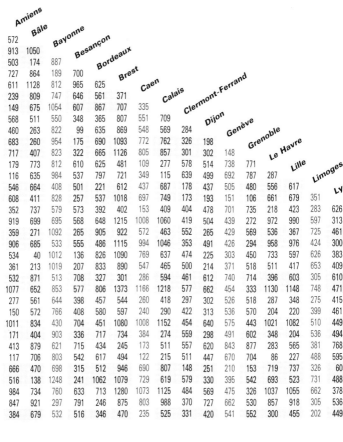

Amiens	Bâle	Bayonne	Besançon	Bordeaux	Brest	Caen	Calais	Clermont-Ferrand	Dijon	Genève	Grenoble	Le Havre	Lille	Limoges	Lyon
572															
913	1050														
503	174	887													
727	864	189	700												
611	1128	812	965	625											
239	809	747	646	561	371										
149	675	1054	607	867	707	335									
568	511	550	348	365	807	551	709								
460	263	822	99	635	869	548	569	284							
683	260	954	175	690	1093	772	762	326	198						
717	407	823	322	665	1126	805	857	301	302	148					
179	773	812	610	625	481	109	277	578	514	738	771				
116	635	984	537	797	721	349	115	639	499	692	787	287			
546	664	408	501	221	612	437	687	178	437	505	480	556	617		
608	411	828	257	537	1018	697	749	173	193	151	106	661	679	351	
352	737	579	573	392	402	153	409	404	478	701	735	218	423	283	626
919	699	695	568	648	1215	1008	1060	419	504	439	272	972	990	597	313
359	271	1092	265	905	922	572	463	552	265	429	569	536	367	725	461
906	685	533	555	486	1115	994	1046	353	491	426	294	958	976	424	300
534	40	1012	136	826	1090	769	637	474	225	303	450	733	597	626	383
361	213	1019	207	833	890	547	465	500	214	371	518	511	417	653	409
532	871	513	708	327	301	286	594	461	612	740	714	396	603	305	610
1077	652	853	577	806	1373	1166	1218	577	662	454	333	1130	1148	748	471
277	561	644	398	457	542	260	418	297	302	526	518	287	348	275	415
150	572	766	408	580	597	240	290	422	313	536	570	204	220	399	461
1011	834	430	704	451	1080	1008	1152	454	640	575	443	1021	1082	510	449
171	404	903	336	717	734	384	274	559	298	491	602	348	204	536	494
413	879	621	715	434	245	173	511	557	620	843	877	283	565	381	768
117	706	803	542	617	594	122	215	511	447	670	704	86	227	488	595
666	470	698	315	512	946	690	807	148	251	210	153	719	737	326	60
516	138	1248	241	1062	1079	729	619	579	330	395	542	693	523	731	488
984	734	760	633	713	1280	1073	1125	484	569	475	326	1037	1055	662	378
847	921	297	791	246	875	803	988	370	727	662	530	857	918	305	536
384	679	532	516	346	470	235	525	331	420	541	552	300	455	202	449

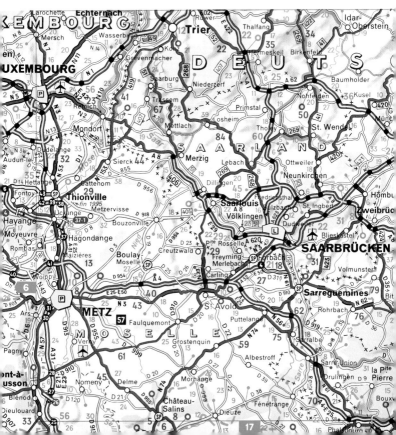

DISTANCES ENTRE PRINCIPALES VILLES

DISTANCES BETWEEN MAJOR TOWNS

DISTANZE TRA LE PRINCIPALI CITTÀ

ENTFERNUNGEN ZWISCHEN DEN GRÖSSEREN STÄDTEN

Marseille – Strasbourg

799 km

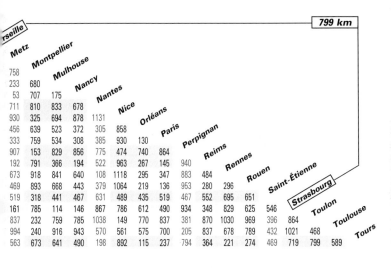

```
Marseille
Metz           758
Montpellier    233  680
Mulhouse        53  707  175
Nancy          711  810  833  678
Nantes         930  325  694  878 1131
Nice           456  639  523  372  305  858
Orléans        333  759  534  308  385  930  130
Paris          907  153  829  856  775  474  740  864
Perpignan      192  791  366  194  522  963  267  145  940
Reims          673  918  841  640  108 1118  295  347  883  484
Rennes         469  893  668  443  379 1064  219  136  953  280  296
Rouen          519  318  441  467  631  489  435  519  467  552  695  651
Saint-Étienne  161  785  114  146  867  786  612  490  934  348  829  625  546
Strasbourg     837  232  759  785 1038  149  770  837  381  870 1030  969  396  864
Toulon         994  240  916  943  570  561  575  700  205  837  678  789  432 1021  468
Toulouse       563  673  641  490  198  892  115  237  794  364  221  274  469  719  799  589
Tours
```

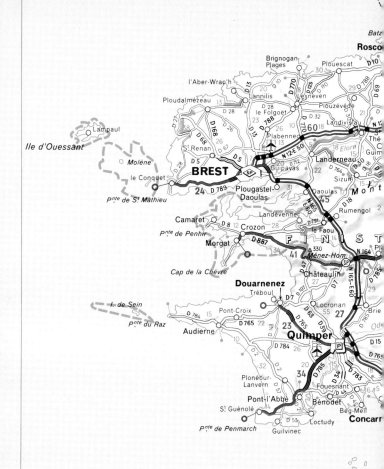

Cork

Batz
Rosco

Brignogan
Plages
Plouescat
D 10

l'Aber-Wrac'h
D 13
Plouézévé
D 69
Lannilis
Lesneven
Ploudalmézeau
D 28
le Folgoët
D 32
N
Landivisiau
Thé

Ile d'Ouessant
Lampaul
St Renan
D 168
D 788
Plabenne
60
Elorn
Guim
Molène
D 68
D 67
N 12-E 50

le Conquet
BREST
SP
Guipavas
Landerneau
D 764
Sizun
Mont

Pnte de St Mathieu
24
D 789
Plougastel-
Daoulas
Daoulas
45
Rumengol
D 18

Camaret
D 8
Crozon
Landévennec
le Faou
FINIST
Pnte de Penhir
D 887
Morgat
A 330
N 164
Ménez-Hom
SP
N 165-E 60

Cap de la Chèvre
41
Châteaulin
D 785

Douarnenez
Tréboul
D 7
Locronan
55
27
Brie

I. de Sein
D 784
Pont-Croix
D 765
23
D 765
Quimper
Od
Pnte du Raz
Audierne
D 784
D 15

Plonéour-
Lanvern
34
D 34
Fouesnant
D 785
Pont-l'Abbé
Bénodet
Beg-Meil
St Guénolé
D 53
Loctudy
Concarr
Pnte de Penmarch
Guilvinec

Iles de Glénan

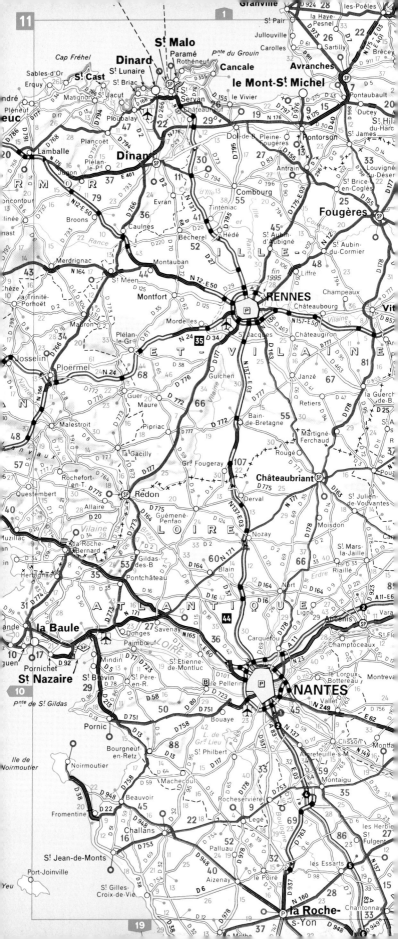

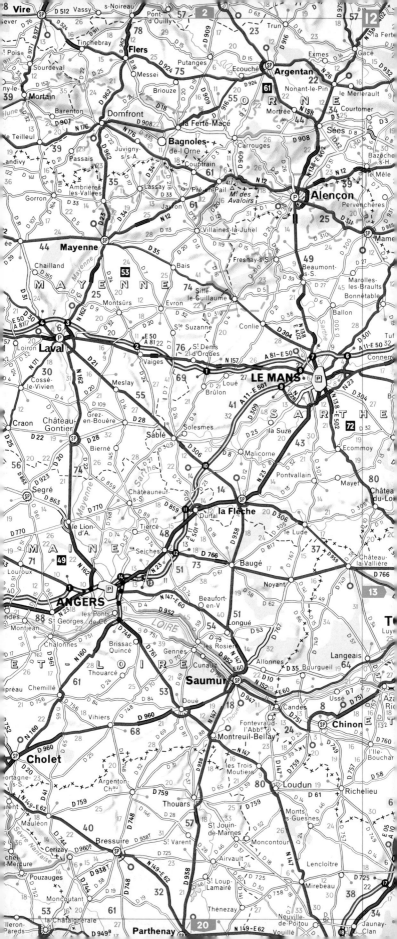

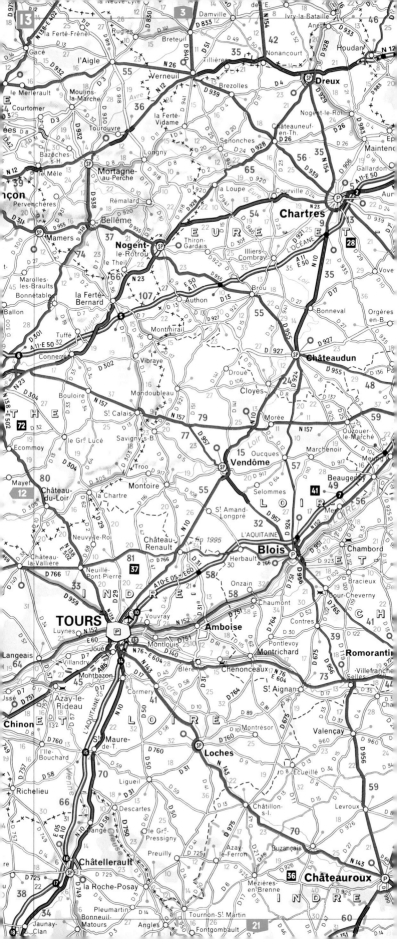

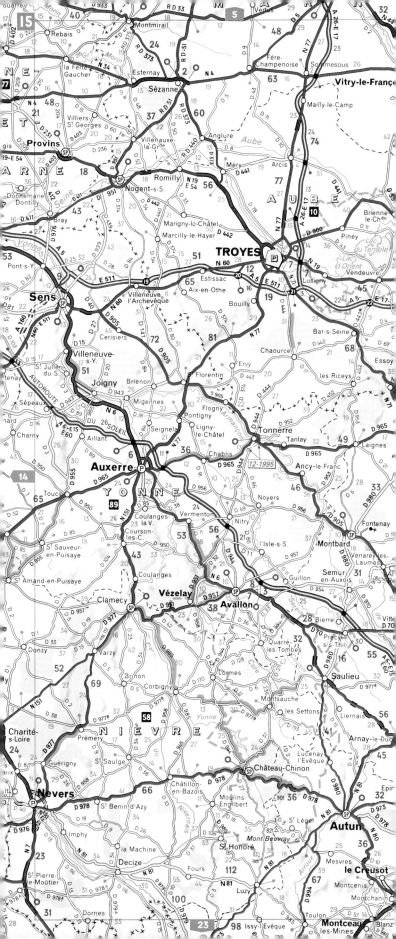

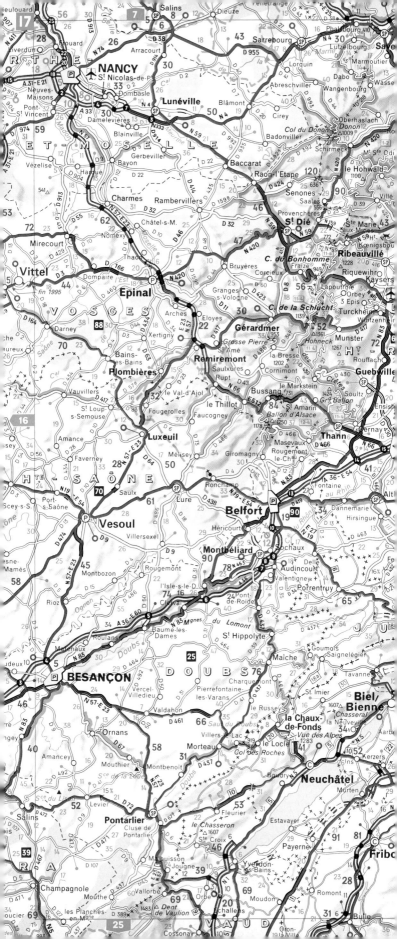

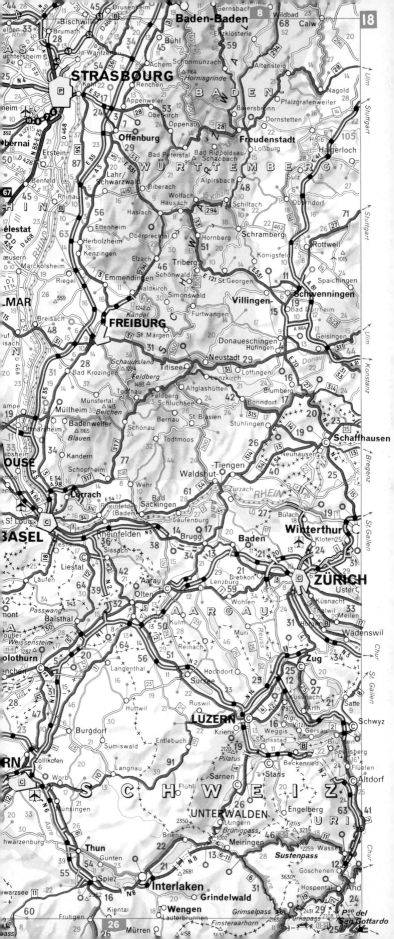

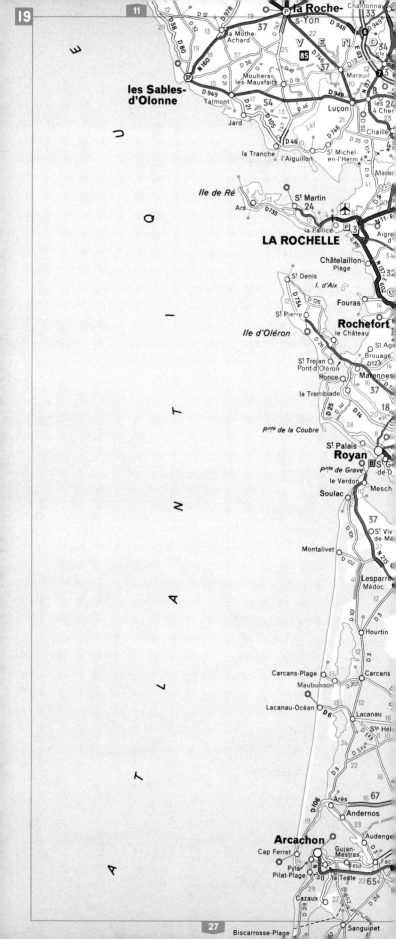

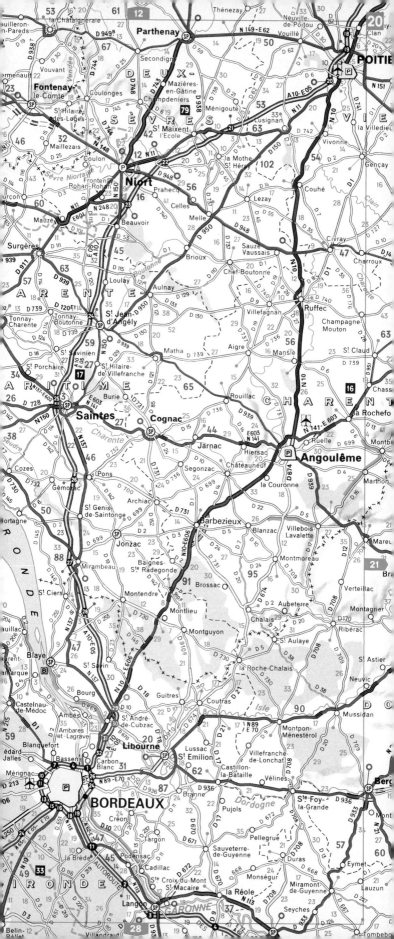

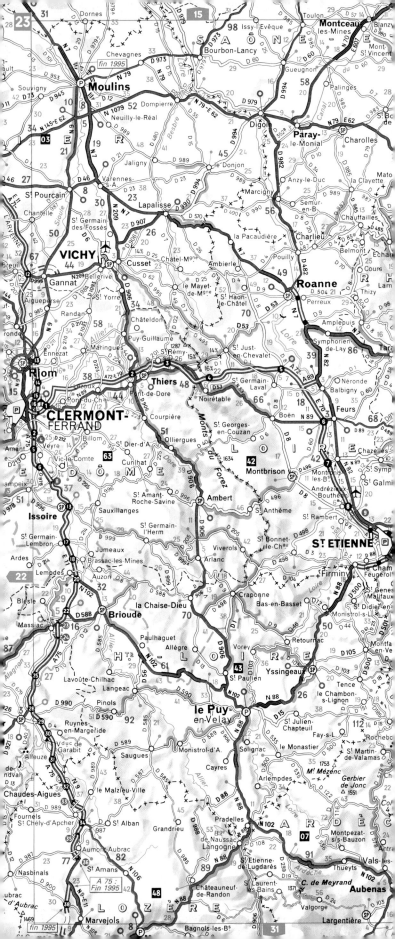

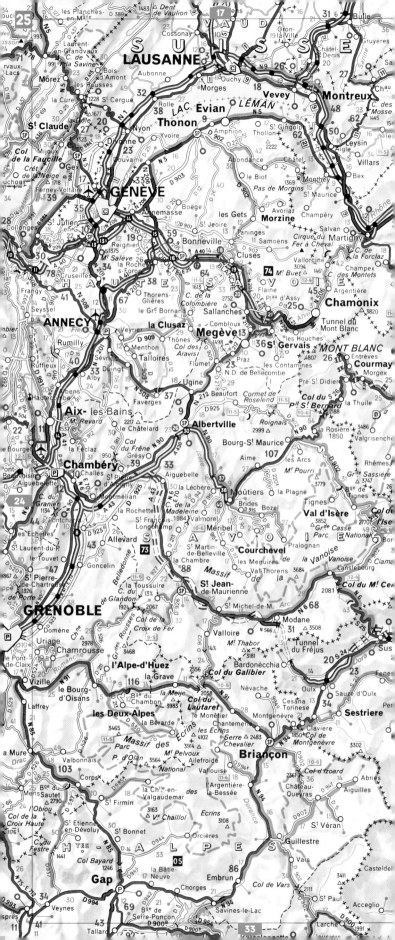

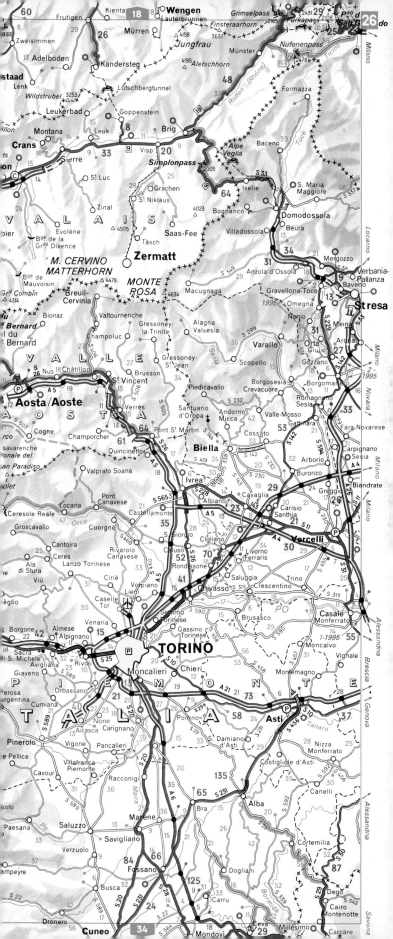

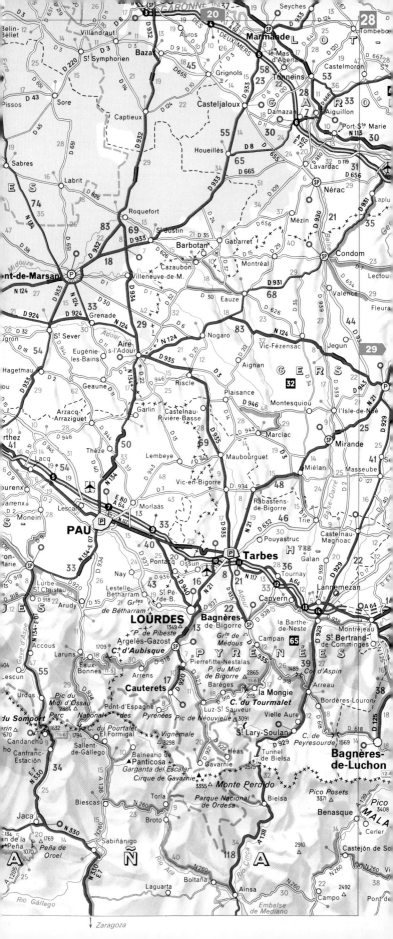

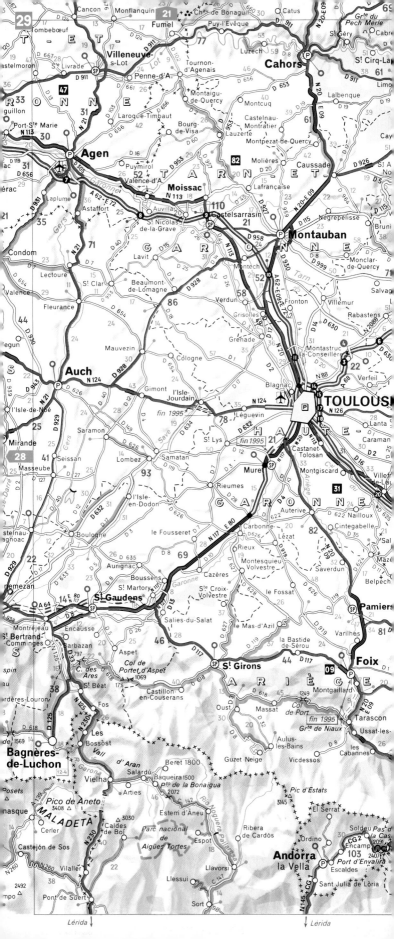

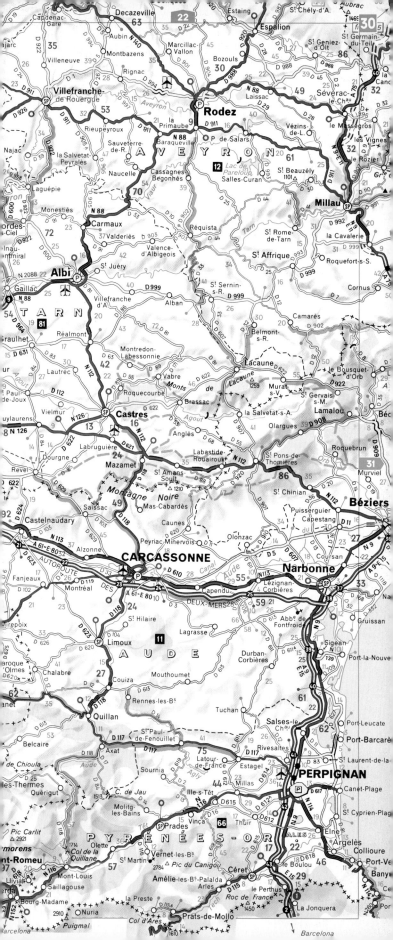

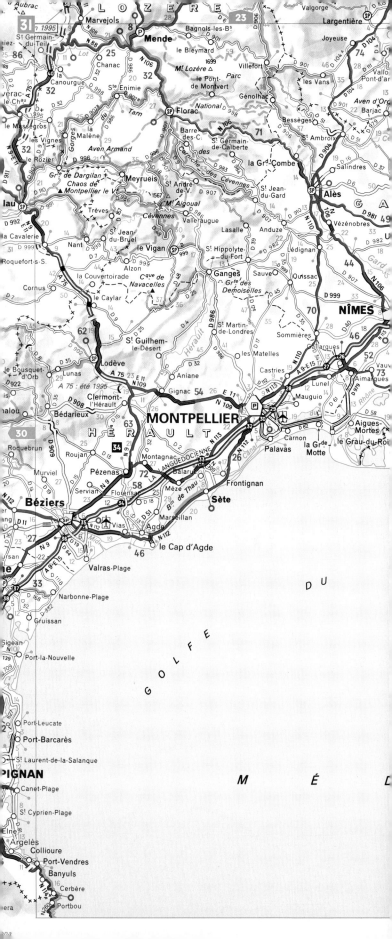

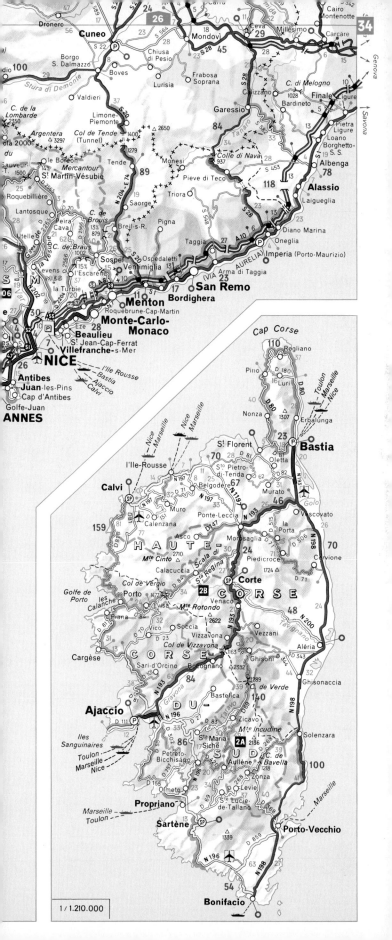

Gisors 36 · Beauvais 50 · Beauvais 59 · Beauvais 69

Rouen 89 · Meulan 14 · Mantes-la-Jolie · Mantes-la-Jolie 36 · Dreux 56 · Rambouillet 22 · Rambouillet 21 · Chartres 52 · Chartres

Puiseux-Pontoise · Osny · Auvers · Villiers-Adam · Montsoult · Baillet-en-France

Pontoise · Méry-s-Oise · Frépillon · Chauvry · Bouffémon

Courdimanche · Vauréal · Cergy · St Ouen-l'Aumône · **VAL-D'OISE** · Forêt de Montmorency · **95**

Boisemont · Jouy-le-Moutier · CERGY-PONTOISE · Éragny · Pierrelaye · Taverny · St Leu-la-Forêt · St Prix · Montlignon · Margenc

l'Hautil · Neuville · la Patte-d'Oie · Beauchamp · St Leu · Ermont · Eaubonne · **Montmo**

Maurecourt · Chanteloup-les-V. · Andrésy · **Conflans**-Ste Honorine · Herblay · la Frette · Franconville · St Gratien · Sois

Triel · *SEINE* · **19.5** · Forêt · Maisons-Laffitte · Cormeilles-en-Parisis · Sannois · **19** · **En** · Épina

Carrières · Achères · de · Sartrouville · **32** · Bezons · Gennevilliers · Villenev-la-Garer

Villennes · **St Germain** · **Poissy** · **7.5** · Houilles · Carrières · Bois-Colombes · la Garenne · **14**

Chambourcy · le Vésinet · **2 Colombes** · **Asnières** · **Courbevoie** · **Levallois-** · Perret · **Clichy**

St Germain-en-Laye · le Pecq · Chatou · **21 Nanterre** · la Défense · Puteaux · **Neuilly**

l'Étang-la-Ville · Marly-le-Roi · **22** · **Rueil-Malmaison** · Suresnes · Boulogne · Pte Maillot

St Nom-la-Bretèche · Noisy-le-Roi · Louveciennes · Bougival · **St Cloud** · **Boulogne-** · Billancourt · **PAR**

Bailly · la Celle-St-Cloud · Garches · **22** · Pte d'Auteuil · Pte de St Cloud

Rennemoulin · Rocquencourt · Vaucresson · **DE** · Pte de Versailles

Villepreux · Fontenay-le-Fleury · le Chesnay · **12** · Ville-d'Avray · **Sèvres** · Vanves · Issy-les-Moulineaux · **Malakof** · **Montrou**

Bois-d'Arcy · **VERSAILLES** · **20** · **Meudon** · Chaville · **SEINE** · **92** · **Clamart** · Châtillon · Bagne

St Cyr-l'École · Viroflay · **18** · le Plessis-Robinson · Fontena-aux-R. · Bou · la-Re

N 286 · Buc · Vélizy-Villacoublay · **13** · Clamart · **Sceaux** · Parc

ST QUENTIN-EN-YVELINES · Trappes · **5.5** · Châtenay-Malabry · **7**

Montigny-le-Bretonneux · Guyancourt · Jouy-en-Josas · Igny · Verrières-le-Buisson · **Antony**

Voisins-le-Bretonneux · Magny · **YVELINES** · Toussus-le-Noble · Bièvres · Vauhallan · **8** · Massy

78 · Châteaufort · le Christ-de-Saclay · Saclay · **Palaiseau**

St Lambert · Milon-la-Chapelle · **Chevreuse** · Bures · Orsay · Champlan · Saulx

Dampierre · St Rémy-les-Chevreuse · Gif · Gometz-le-Châtel · les Ulis · Villejust · Ballanvilliers · Longjum · Epi

St Forget · Choisel · Boullay-les-Troux · Chevry · la Folie-Bessin · la Ville-du-Bois · Villem

les Molières · Gometz-la-Ville · **22** · Janvry · Nozay · **8.5**

Pecqueuse · **Limours** · Forges-les-Bains · Marcoussis · **16** Ste Gene · des-B · Longpont

Briis · Fontenay · Montlhéry · St Mich

Bonnelles · Angervilliers · Vaugrigneuse · Bruyères-le-Châtel · **6** · Brétigny

St Cyr · le Val-St-Germain · Breuillet · Ollainville · St Germain · **Arpajon**

Egly · Guibeville · Leude

Avrainville · Marolles-en-Hurepoix · Boissy

1/250 000

Étampes 19

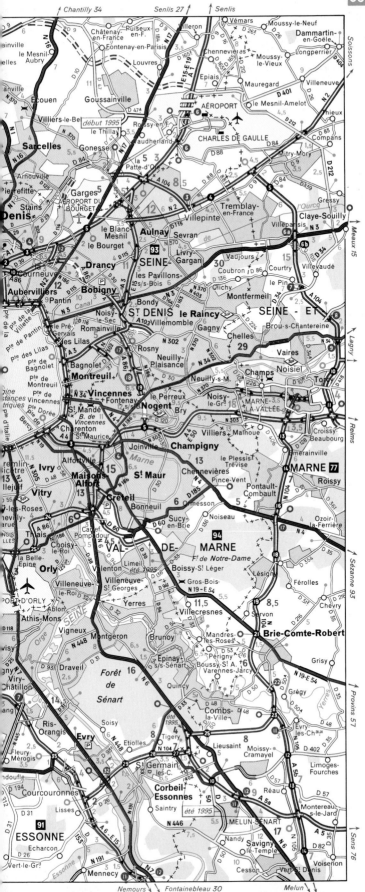

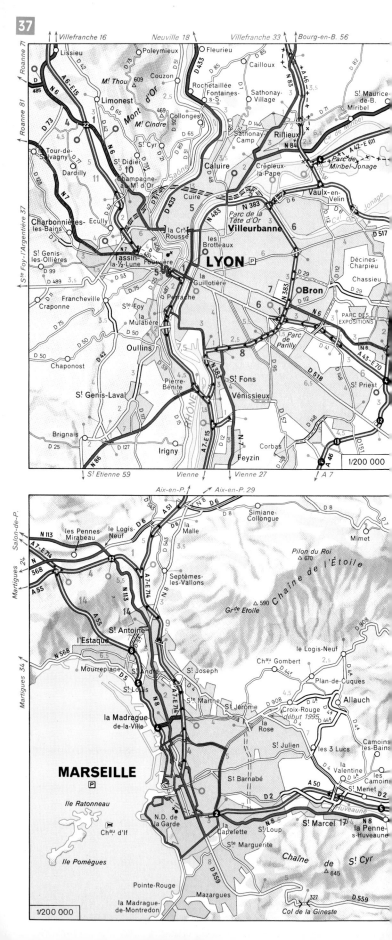

Guide de Tourisme

MICHELIN®

France

PNEU MICHELIN

SUR TOUTES LES ROUTES
UTILISEZ LES CARTES MICHELIN

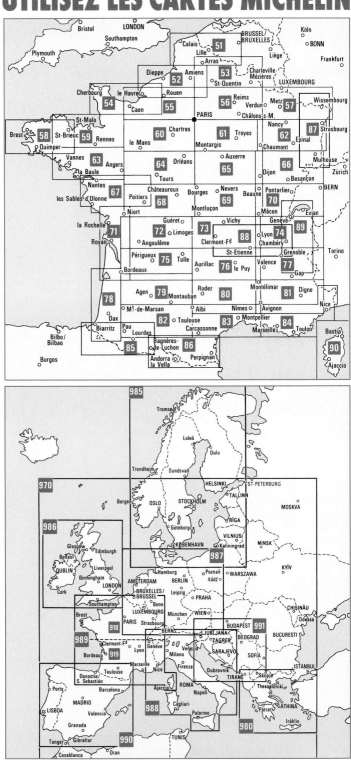

DRIVE ALONG USING
MICHELIN MAPS